À Gaspard et Rémi.

Remerciements à Philippe Brochard.

ISBN : 978-2-211-09256-2

© 2007, l'école des loisirs, Paris
Loi n° 49.956 du 16 juillet 1949 sur les publications destinées à la jeunesse :
mars 2007
Dépôt légal : novembre 2008
Imprimé en France par Clerc à Saint-Amand-Montrond

Emmanuel Cerisier

DANS LES PAS DE
GUILLAUME
LE CONQUÉRANT

Hastings 1066

ARCHIMÈDE

l'école des loisirs

11, rue de Sèvres, Paris 6ᵉ

Au printemps de l'an 1066,
le seigneur Tancrède de Hautmesnil,
accompagné de ses gens d'armes, quitte son fief
pour rejoindre l'armée du duc de Normandie, Guillaume, dit Guillaume le Bâtard.
Celui-ci a décidé de lever une armée et de conquérir l'Angleterre,
parce que Harold Godwinson s'est emparé du trône à sa place.
Une dernière fois, Tancrède regarde son donjon.
S'il revient ici un jour, ce sera riche et couvert de gloire,
comme l'a promis Guillaume…

Le duc de Normandie a donné rendez-vous
aux combattants sur les côtes de la Manche,
dans l'estuaire de la Dives.
Encore deux jours de marche pour Tancrède
et sa troupe.
Ce soir, ils mettent pied à terre à l'orée d'une forêt.
Autour du feu, le seigneur évoque ses combats :
«Devant le château de Mouliherne,
j'ai vu le courage de Guillaume.
À lui tout seul, il mit hors d'état de nuire
quinze chevaliers. Et alors qu'un baron félon
fondait sur moi, il me sauva la vie en…»
Soudain, un des hommes l'interrompt :
«Là-bas, Seigneur ! Je vois des hommes !
Aux armes !»

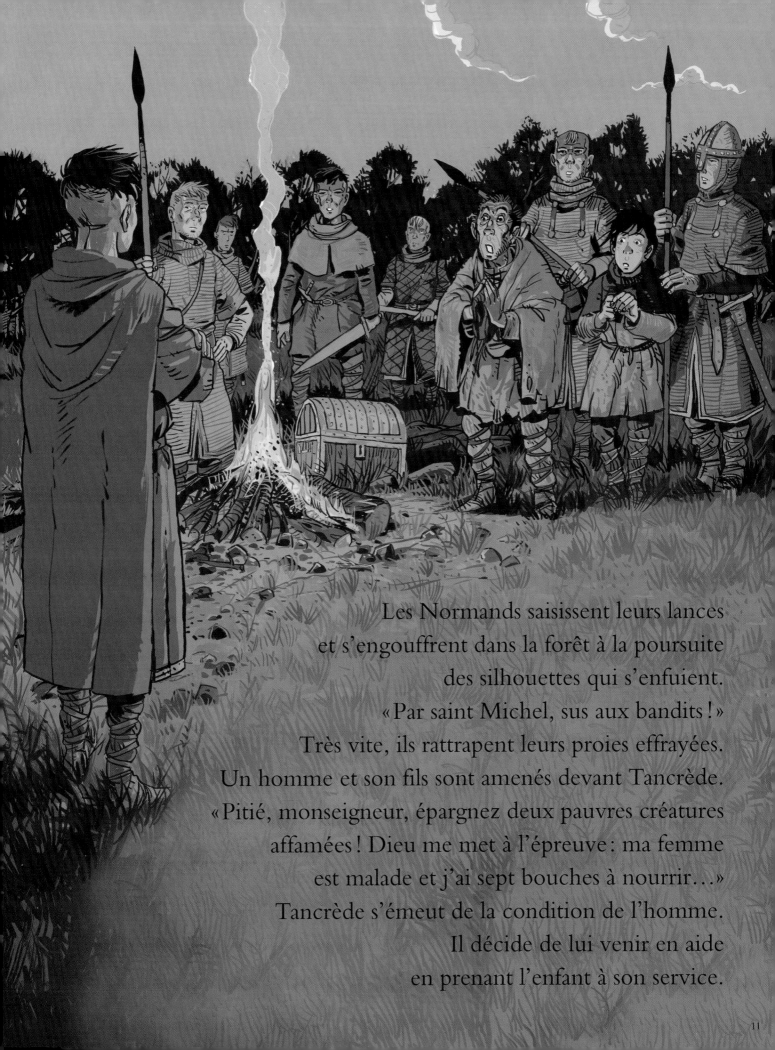

Les Normands saisissent leurs lances
et s'engouffrent dans la forêt à la poursuite
des silhouettes qui s'enfuient.
« Par saint Michel, sus aux bandits ! »
Très vite, ils rattrapent leurs proies effrayées.
Un homme et son fils sont amenés devant Tancrède.
« Pitié, monseigneur, épargnez deux pauvres créatures
affamées ! Dieu me met à l'épreuve : ma femme
est malade et j'ai sept bouches à nourrir… »
Tancrède s'émeut de la condition de l'homme.
Il décide de lui venir en aide
en prenant l'enfant à son service.

«Courage, Maixent, le seigneur Tancrède est généreux,
c'est un honneur pour toi d'être à présent à ses côtés.»
Ainsi l'homme, le cœur serré, quitte son jeune fils.
Le lendemain, la troupe approche de l'abbaye Saint-Vigor, dernière
étape avant la côte. Elle croise un colporteur en route pour Dinan.
«Bonjour, messires, allez-vous aussi rejoindre notre bon duc Guil-
laume ? Il en vient de toute la Normandie, mais aussi de Bourgogne, de
Bretagne, d'Alsace, de Picardie, et même d'Espagne et d'Italie !»

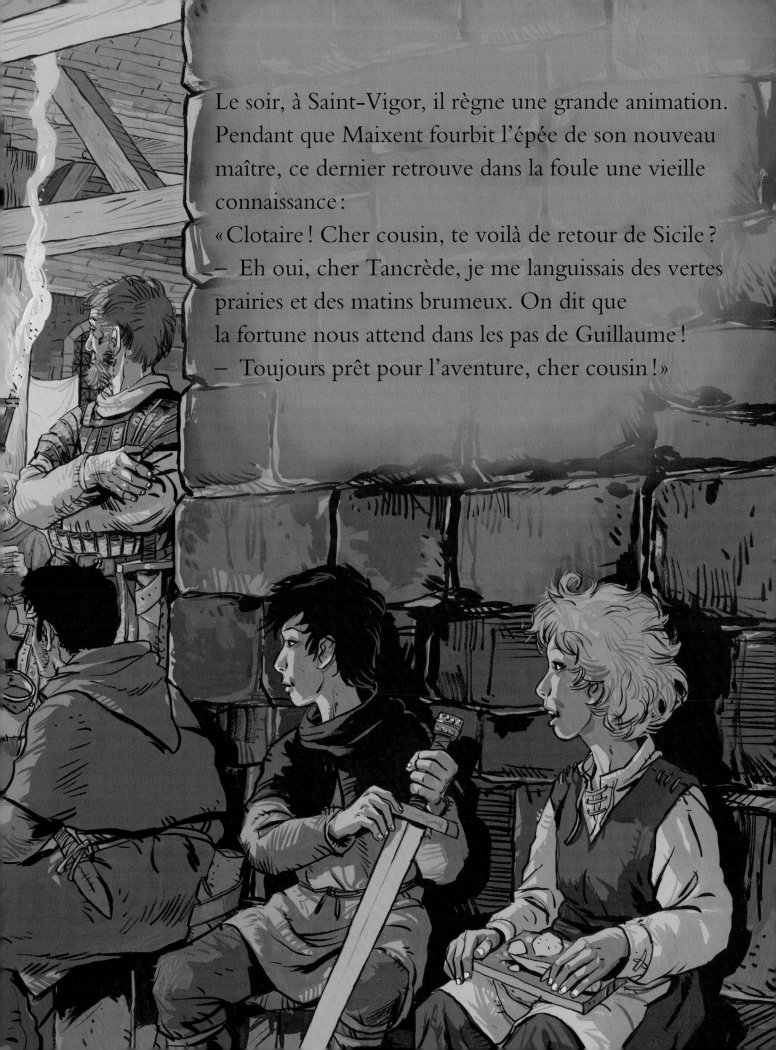

Le soir, à Saint-Vigor, il règne une grande animation.
Pendant que Maixent fourbit l'épée de son nouveau
maître, ce dernier retrouve dans la foule une vieille
connaissance :
«Clotaire ! Cher cousin, te voilà de retour de Sicile ?
— Eh oui, cher Tancrède, je me languissais des vertes
prairies et des matins brumeux. On dit que
la fortune nous attend dans les pas de Guillaume !
— Toujours prêt pour l'aventure, cher cousin !»

L'aventure commence à l'embouchure de la Dives, enfin !
Maixent découvre les bords de mer envahis par la grande armée.
C'est une vraie fourmilière : des bûcherons ont coupé de grands arbres dans les forêts alentour.

Les charpentiers, eux, mettent les bouchées doubles pour construire les nombreuses embarcations. Les bateaux seront de toutes tailles ! Comme le temps presse, des navires ont aussi été achetés ou loués. Guillaume veut profiter de l'été pour lancer ses hommes à l'assaut des côtes anglaises.

Mais il faut attendre, car les vents ne sont pas favorables.
Alors, pendant ce temps, Clotaire conte ses exploits en Méditerranée
devant un auditoire captivé :
« J'avais quitté le Cotentin pour l'Italie. Là-bas, je me mis au service
de princes fortunés. Nous étions quelques Normands courageux
à sillonner ces terres brûlantes. Combien de fois ai-je combattu les
Byzantins dans les Pouilles ou les Maures en Sicile ! À Lipari, je trouvai
une gentille épouse, mais malgré la douceur des nuits et la beauté
de ces campagnes arides, je ne pouvais oublier les miens… »

Le temps passe et les hommes commencent à perdre patience. On s'énerve, on se dispute. Tancrède et Maixent ont du mal à contenir le bouillant cousin Clotaire :

« Par tous les diables, quand donc les vents vont-ils tourner pour porter nos bateaux chez le Saxon ? »

Au mois d'août, Guillaume le Bâtard quitte son château de Bonneville pour venir vivre au milieu de ses hommes et les encourager.
Maixent aperçoit enfin le chef normand :
«Seigneur Tancrède, voyez là-bas, c'est notre duc ! Il est si grand !
Guillaume, Guillaume !»

Début septembre, profitant du vent qui souffle enfin de l'ouest,
la flotte fait mouvement vers le port de Saint-Valéry, s'approchant ainsi
un peu plus des côtes anglaises.

Vient ensuite une longue période de mauvais temps ; fortes pluies
et tempêtes se succèdent.

Le duc de Normandie décide alors d'en appeler à Dieu.

Les reliques de saint Valéry sont portées en procession.

Est-ce la force des prières ?
Le 28 septembre, Maixent
proclame la bonne nouvelle :

«Dieu nous a entendus !
Regardez la bannière, les vents
sont au sud, miracle ! »

23

Guillaume donne aussitôt l'ordre d'embarquer.

Pendant douze heures, dans une grande excitation et la clameur
des huit mille combattants, on charge les barriques de vin
et d'eau douce, ainsi que les boucliers, les heaumes, les lances,
les victuailles, les épées, les arcs et les flèches.
Maixent s'occupe du cheval de Tancrède et le mène jusqu'aux bateaux ;
six cents embarcations transporteront les chevaux, quatre cents
sont destinées aux chevaliers, aux archers et aux fantassins.

À la tombée de la nuit, les bateaux dépassent la pointe du Hourdel.
Ils suivent le *Mora*, le bateau de Guillaume, qui est équipé
d'une lanterne en haut de son mât.
Il règne une grande tension.

La plupart de ces hommes s'embarquent et affrontent le mal de mer pour la première fois, tel Maixent qui rend son dernier repas. En marin aguerri, Clotaire s'en amuse : « Voilà que, dans sa grande bonté, notre jeune page nourrit les poissons ! Il te faudra être plus féroce face aux Saxons ! »

Au matin du 29 septembre, l'armée de Guillaume débarque à Pevensey.
Les premiers à fouler le sol anglais sont les archers qui doivent couvrir
le débarquement des chevaux. Mais aucun ennemi ne se manifeste.
Tout est calme.

Quant au chef normand, à peine a-t-il pris pied sur la terre ferme
qu'il trébuche et tombe sur la plage.
Tancrède se précipite tandis que Clotaire, inquiet, annonce :
« C'est un mauvais présage ! Que Dieu nous protège !
— Au contraire, chevalier : j'ai saisi cette terre de mes mains,
elle est à nous maintenant ! » s'exclame Guillaume.

C'est dans un bourg nommé Hastings
que le duc de Normandie a décidé d'attendre Harold.
Le chef saxon est en effet occupé dans le Nord à guerroyer
contre les Vikings norvégiens. Prévenu de l'invasion normande,
il doit reformer son armée et gagner le Sud à bride abattue,
mais en faisant un détour par Londres pour gonfler ses rangs.
Pendant ce temps, les Normands fortifient Hastings.

Ils chassent les habitants, pillent
et brûlent leurs maisons.
Maixent lui, a fait une belle prise
dans une ferme voisine.
«Allez mon gros, encore un petit
effort et je te présente au seigneur Tancrède.
Il sera content que je te grille à la broche pour lui et ses hommes !»

Enfin, le 13 octobre, l'armée anglo-saxonne prend position
sur une colline à quelques kilomètres de Hastings.
Un éclaireur, le chevalier Vital, donne l'alerte :
«Les Saxons ! Les Saxons ! Aux armes !»
Au matin du 14, l'armée de Guillaume fait mouvement.
Maixent, la bouche desséchée, porte l'épée de Tancrède
dans la colonne des fantassins qui s'approche
du champ de bataille. Chacun retient son souffle.
Les archers sont les premiers à entrer en action.

Quelques instants plus tard, resté en arrière sur la colline de Telham,
Maixent assiste au terrible affrontement.

À deux cents mètres de là, les Saxons, protégés par leurs boucliers,
encaissent le choc.

Maixent distingue les redoutables haches des Housecarls danois,
les guerriers d'élite de Harold.

Les lignes saxonnes ne cèdent pas.

Les Saxons contre-attaquent même et repoussent les Bretons
sur leur flanc gauche.

Alors Guillaume jette dans la bataille sa puissante cavalerie.

Vers midi, la rumeur court que le Bâtard est mort, mais il se dresse, défait son casque pour que les siens le reconnaissent et harangue ses troupes.

Guillaume est bien vivant !

Par deux fois ensuite, devant la résistance saxonne, les Normands feignent de battre en retraite pour mieux se retourner contre leurs poursuivants. L'ennemi plie enfin.

De nouveau, Guillaume fait donner ses archers.
Après avoir vu tomber ses deux frères, Harold est
à son tour mortellement blessé à l'œil.
Les Housecarls combattent et se font tuer jusqu'au dernier.
Alors que la journée s'achève, les cavaliers normands
pourchassent encore les Saxons dans la forêt.
Mais Clotaire est à terre. Il est blessé au flanc.
«Par saint Michel! me voilà touché par un bougre
d'enragé! Quel déshonneur! Ma dernière heure est-elle
venue? Ne reverrai-je donc jamais la terre de Sicile?»

Au crépuscule de cette journée historique, Maixent découvre le champ de bataille sur la lande de Senlac ensanglantée. Jamais il n'oubliera la vision de tous ces cadavres.

Les Normands n'ont pas fait de prisonniers.

Au loin, il voit le seigneur Tancrède qui salue avec d'autres chevaliers la glorieuse victoire de Guillaume.

«Saint Michel! *Dex aie* (Dieu aide). Victoire, victoire!»
Le duc promet qu'en ce lieu il fera bâtir une abbaye pour rendre grâces.
Parmi les milliers de corps mutilés qui jonchent le sol, Maixent craint
de découvrir le cousin Clotaire.
Il part à sa recherche avec une boule au ventre.

Enfin, à la lisière d'un bois, il entend la voix familière.

«Jeune Maixent, par ici, aide-moi, je ne peux plus marcher seul!

– Clotaire, vous saignez? Un Housecarl vous aurait-il blessé?

– Non, seulement un misérable paysan qui a surgi d'un buisson.
Mais hâtons-nous, ces détrousseurs de cadavres pourraient s'en prendre
à nous.

– Le seigneur Tancrède est vivant, et notre duc tient sa victoire,
l'Angleterre est à nous, Clotaire!

– Alors remercions Dieu, et qu'il accueille toutes ces pauvres âmes!»

Le 20 octobre, Guillaume et son armée prennent la route de Londres.
En chemin, ils soumettent plusieurs villes : Douvres, Cantorbéry, Winchester.
Et, le jour de Noël, Guillaume est couronné roi d'Angleterre
en l'abbaye de Westminster, à Londres.
Les années qui suivent sont consacrées à la pacification du royaume.
Guillaume le Bâtard est devenu Guillaume le Conquérant.

Quelques mots de plus…

De Guillaume le Bâtard
à Guillaume le Conquérant

Guillaume est né en 1027 à Falaise (département du Calvados actuel). Il est le fils du duc de Normandie, Robert le Magnifique (ou le Libéral) et d'Arlette, une femme illégitime (d'où son surnom de «Bâtard»). Robert aime son fils, mais, occupé par sa charge, il a confié l'éducation de l'enfant à Arlette et aux grands-parents.

Guillaume grandit à Falaise, il a une petite sœur: Aélis. On le dit intelligent, vigoureux mais parfois brutal.

Guillaume a sept ans quand son père décide de partir en pèlerinage en Terre sainte. Avant de quitter ses terres, Robert désigne Guillaume comme héritier afin d'assurer la continuité du duché et reçoit la promesse de ses barons

Le château de Falaise, peinture de Louis Auguste Lapito, 1803-1874.

d'être fidèles à l'enfant. Mais Robert ne reviendra pas de Jérusalem et la plupart des barons oublieront leur promesse. La Normandie connaît alors des guerres entre barons qui se disputent le duché et contestent la légitimité de l'enfant.

À la mort de son père, Guillaume est séparé de sa mère et mis sous la tutelle de barons fidèles à Robert. Malgré le désordre, les structures économiques essentielles du duché sont préservées et Guillaume fait preuve d'une maturité et d'une autorité précoces. En 1043, le «Bâtard» devient duc de Normandie. Il s'entoure de fins conseillers, comme le

moine Lanfranc et son ami d'enfance Guillaume Fitz-Obern.

En 1046, Guillaume livre à Val-ès-Dunès, près de Caen, sa première bataille rangée contre les barons félons du Bessin et du Cotentin, avec l'aide de son suzerain, le roi de France. C'est une éclatante victoire. Il apparaît comme un meneur d'hommes qui n'hésite pas à se jeter dans la mêlée, il est rusé et sait mettre rapidement en mouvement son armée. Grâce au soutien de l'Église, le duché connaît des périodes de paix (la trêve de Dieu), qui favorisent son développement économique. La Normandie devient un État fort, en avance sur ses voisins.

En 1051, Guillaume épouse au château d'Eu la fille du comte de Flandre Baudoin V, Mathilde. Elle est belle et intelligente. Certains disent que c'est elle qui commandera la fameuse tapisserie de Bayeux. En 1077, le frère de Guillaume, Eudes de Bayeux, demandera à un atelier anglais une tapisserie racontant la bataille de Hastings. C'est une pratique assez courante à l'époque. Guillaume lui-même a déjà offert des broderies venues d'Angleterre à plusieurs églises normandes. Celle qui est destinée à décorer la nef de l'église de Bayeux est particulièrement imposante par ses dimensions (environ 70 mètres de long) et elle est rendue très vivante par ses nombreuses scènes très détaillées. On y voit 623 personnages, 500 animaux, 50 arbres et 40 navires. On peut toujours l'admirer au musée de la ville de Bayeux.

TI:VVIDO:HAROLDV: ETD VXIT EV M AD BEL REM ETI BI EVM:TEN VIT:

Tapisserie de Bayeux (détail)

Guillaume aimera sincèrement Mathilde et il lui confiera, pendant son expédition en Angleterre, la charge du duché, avec l'aide du vieux Roger de Beaumont. Guillaume et Mathilde auront dix enfants, dont quatre garçons.

Un an avant son mariage, alors qu'il n'a que vingt-deux ans, le chef normand fait de nouveau preuve de bravoure. Pendant l'expédition en Anjou et le siège du château de Mouliherne, le jeune duc met à lui seul en déroute quinze chevaliers et en capture sept.

En 1057, l'ennemi juré de Guillaume, Geoffroi Martel, s'allie au roi de France, Henri Ier et, à partir du Maine, attaque la Normandie. Leurs armées se font massacrer dans les marais de l'embouchure de la Dives. À cette époque, le roi de France ne règne d'ailleurs réellement que sur l'Île-de-France, son prestige est symbolique ; on le respecte mais il n'a guère d'autorité sur ses vassaux. Guillaume est à la tête d'un duché bien plus puissant militairement et économiquement que celui du royaume d'Henri Ier. Ce n'est que sous le règne de Philippe Auguste que la Normandie pliera devant la royauté.

Après la victoire de 1057, le

Guillaume le Conquérant (détail), huile sur bois, portrait (imaginaire ?) peint par Saint-Martin de Fontenay en 1708, sacristie de l'église Saint-Étienne à Caen.

L'abbaye aux Hommes à Caen en hiver

duché est à son apogée ; on fortifie la ville de Caen. Guillaume y fait construire à partir de 1062 l'abbaye aux Hommes.

L'autre grande ville normande, Rouen, favorisée par sa situation géographique, devient très prospère. Guillaume est apprécié par son peuple, c'est le temps de la paix. L'art roman est en pleine expansion. On compte désormais moins de migrants normands partant à l'aventure en Méditerranée pour chercher fortune. Les moulins à marée et à vent apparaissent, on assèche les marais, la production agricole s'intensifie, les gens mangent mieux, la vie des paysans s'améliore.

En 1064, Guillaume combat les Bretons de Conan et s'empare de la ville de Dinan aux côtés de celui qui deviendra son ennemi juré, Harold Godwinson, comte de Wessex. Guillaume, impressionné par le courage de l'Anglais, décide de le faire chevalier. Manœuvre intéressée du Bâtard qui pense déjà au trône qu'Édouard d'Angleterre lui a promis. Harold, qui lui aussi a des prétentions à la couronne d'Angleterre, ne peut refuser le geste de Guillaume. Or, s'il devient le vassal du duc de Normandie, il devra automatiquement faire

allégeance. D'autant que Guillaume le lui fait jurer sur des reliques sacrées.

À la mort d'Édouard, le 5 janvier 1066, Harold, qui est de retour en Angleterre, conteste néanmoins la désignation de Guillaume par Édouard et s'empare sans tarder du trône. Il défie ainsi le Normand. Voici l'occasion pour Guillaume de conquérir la grande île. Harold l'a trahi! Il a renié son engagement, il a commis un parjure très grave. Guillaume doit affirmer son autorité. Le Normand décide d'en appeler au pape Alexandre II, qui se range de son côté et lui envoie la bannière pontificale (bannière de Saint-Pierre). En retour, Guillaume lui promet de remettre de l'ordre au sein de l'Église d'Angleterre, devenue un peu trop indépendante au goût du Vatican.

La Normandie est forte et apaisée, c'est le moment de regarder vers d'autres horizons.

L'Angleterre du XIe siècle est un pays riche et convoité. De nombreux échanges se font entre l'île et le continent. Il y a des commerçants rouennais à Londres et des marins anglais en Normandie. Une première colonie de Normands s'installe en Angleterre en 1003. Sous le règne d'Édouard le Confesseur, des Normands fréquentent la cour, on y parle le français. Édouard connaît bien les Normands. En effet, lors des invasions vikings, il est venu se réfugier en Normandie: d'où sa préférence de voir Guillaume lui succéder. Malgré la richesse du royaume, le pays s'affaiblit peu à peu, miné par des guerres intestines et les raids danois.

À la fin du règne d'Édouard, deux prétendants à la succession se sont clairement déclarés: Guillaume, son cousin; et Harold, très populaire en Angleterre.

Guillaume décide de monter la plus impressionnante

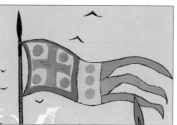

Bannière de Saint-Pierre ou pontificale (voir aussi pages 23 et 28).

Détail de la tapisserie de Bayeux (voir aussi au-dessus), musée de la Tapisserie à Bayeux, Calvados.

expédition militaire de l'époque pour envahir l'Angleterre et détrôner Harold le «félon». L'opération ne prendra que cinq mois. Hastings sera le théâtre de la bataille décisive. Plus tard, Guillaume fera construire sur le site de cette bataille une abbaye (Battle Abbey).

Après l'enterrement des morts, Guillaume se met en

Carte de la traversée maritime de Guillaume le Conquérant.

Palais des Normands (il palazzo dei Normanni), siège du parlement de Palerme.

Chevalier du XIe siècle, mannequin en armure, réalisé d'après la tapisserie de Bayeux.

route avec son armée pour Londres. Début décembre, il en est à quatre-vingts kilomètres.

Le jour de Noël, le vainqueur de Hastings se fait couronner en l'abbaye de Westminster, à Londres, malgré des troubles qui agitent la capitale. En 1067, le Normand occupe la moitié la plus riche et la plus peuplée du royaume ; il entame alors une redistribution des terres.

En mars, il revient dans son duché de Normandie. Il y est accueilli triomphalement.

Pendant ce temps, son frère Eudes et son ami d'enfance Fitz-Obern gouvernent le royaume d'Angleterre avec difficulté. Ils doivent faire face à des révoltes et à des actes de résistance d'anciens compagnons de Harold. Les représailles sont terribles. En 1079, York est prise aux Normands, Guillaume reconquiert la grande ville du nord et dévaste les campagnes alentour.

L'Angleterre s'apaise peu à peu, même si les Normands sont perçus comme des colonisateurs. Leur intégration est lente, notamment à cause de la langue. Guillaume installe ses hommes aux postes clés et, comme promis, dis-

Hache de charpentier en fer forgé, XIe-XIIe siècle, Museum of London.

tribue des terres à ses barons. Vingt ans après la bataille de Hastings, chaque comté et chaque village sont visités. Guillaume invente le *Doomsday book* (le *Livre du Jugement dernier*). Les nobles anglais l'appellent ainsi car ils considèrent qu'on leur enlève leurs richesses et les dépouille de leur influence. Dans tous les *shires,* ou comtés, on répertorie les terres, leur valeur, ceux qui les exploitent. Il s'agit d'établir un relevé statistique des nouvelles terres conquises. C'est le tout premier registre administratif détaillé qui donnera une idée précise de l'activité sociale et économique du royaume d'Angleterre de cette époque. On estime alors que la puissance de Guillaume est multipliée par trois depuis qu'il s'est emparé de la couronne anglaise.

Marquée par l'occupation des Normands et la cohabitation de différentes communautés, l'Angleterre s'ouvre, se modernise et s'enrichit. Les Normands y importent leurs techniques de construction.

Les derniers jours de Guillaume

En 1083, Mathilde meurt de la peste qui sévit dans la région de Caen. Guillaume est un homme vieillissant devenu presque obèse. En 1087, il se lance néanmoins dans la reconquête de Mantes et de Pontoise occupées par Philippe Ier, roi de France. Pendant la bataille, Guillaume tombe de cheval et se blesse à l'estomac. Alors commence pour lui une longue agonie de six semaines. Il est ramené sur un brancard à Rouen. Là, il vivra ses derniers jours dans de grandes souffrances. Il meurt à soixante ans et est enterré dans l'église Saint-Étienne à Caen.

Pendant cent cinquante ans, le puissant duché de Normandie tient tête au roi de France; ce n'est qu'en 1204 que le roi Philippe Auguste entreprendra sa conquête.

Le règne de Guillaume a marqué l'histoire: jamais plus une armée ne réussira à envahir l'Angleterre; même Napoléon et Hitler échouèrent dans leurs tentatives.

Mosaïques, intérieur de la cathédrale de Monreale, Palerme.

L'aventure... toujours plus loin

Les Normands descendent des Vikings originaires de l'Europe du Nord. Leur nom vient d'ailleurs du mot *northmen*, hommes du Nord. Les Vikings étaient redoutés pour leurs expéditions meurtrières. Ils se déplaçaient aisément dans leurs fameux drakkars, embarcations très pratiques pour remonter les fleuves peu profonds. Les habitants des deux côtés de la Manche les craignaient beaucoup. Ils pillaient souvent les abbayes qui abritaient des trésors. Guillaume descend directement du Viking Rollon. Ce dernier attaqua Rouen en 893, mais fut arrêté devant Paris en 910. Il s'établit alors dans l'estuaire de la Seine, et d'autres Normands s'implantèrent dans la région de l'actuelle ville de Nantes. Le roi de France s'accommoda de leur présence. Peu à peu, ces hommes s'intégrèrent à la population locale et eurent des descendants.

Les Normands ont hérité le goût de l'aventure de leurs ancêtres. Leurs conquêtes les mènent en Espagne, en Italie, au Proche-Orient, à Antioche, en Ukraine, en Tunisie et jusqu'à Constantinople (actuelle Istanbul). Des barons pauvres ou bannis de Normandie, employés comme mercenaires, se lancent dans des expéditions au cours desquelles ils exercent leurs talents de guerriers. On les signale vers l'an 1000 en Italie. Petit à petit, ces mercenaires se font payer en terres et deviennent des barons respectés. Les Hauteville, partis d'un petit village du Cotentin, marqueront l'histoire de l'Italie du sud et de la Sicile. L'un de leurs descendants, Robert Guiscard de Hauteville, s'empare de la Sicile en 1072. Son petit-fils, Roger II, est couronné roi de Sicile à Palerme en 1130 et exerce un règne humaniste, respectant les différentes communautés (musulmane, juive, orthodoxe ou chrétienne). Ce fut un monarque éclairé, bâtisseur de cathédrales et de palais que l'on visite encore aujourd'hui.

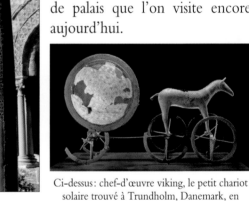

Ci-dessus: chef-d'œuvre viking, le petit chariot solaire trouvé à Trundholm, Danemark, en 1902, fierté du musée national de Copenhague.

Cour du cloître de Monreale, Palerme.
« Le merveilleux cloître de Monreale jette, au contraire, dans l'esprit une telle sensation de grâce qu'on y voudrait rester presque indéfiniment… L'exquise proportion, l'incroyable sveltesse de toutes ces légères colonnes, allant deux par deux, côte à côte, toutes différentes, les unes vêtues de mosaïques, les autres nues; celles-ci couvertes de sculptures d'une finesse incomparable, celles-là ornées d'un simple dessin de pierre qui monte autour d'elles en s'enroulant comme grimpe une plante, étonnent le regard, puis le charment, l'enchantent, y engendrent cette joie artiste que les choses d'un goût absolu font entrer dans l'âme par les yeux. »
(Guy de Maupassant, «Voyage en Sicile».)

Ci-dessus: mosaïque, armure des Hauteville, cathédrale Monreale, Palerme.

Ci-dessus: objets en or, bronze ou autre métal, venant d'une sépulture viking de l'île de Groix, musée d'Archéologie nationale, Saint-Germain-en-Laye.